Akademos

Rosemarie Trockel • Markus Lüpertz

RO'MA

Mit freundlicher Unterstützung der
With the generous support of

ΑΚΑΔΕΜΟΣ

Academy Project of the MKM Museum Küppersmühle für Moderne Kunst

Rosemarie Trockel • Markus Lüpertz

RO'MA

An exhibition of the Stiftung für Kunst und Kultur e.V., Bonn
in collaboration with the Düsseldorf Academy of Art
and Albion, London

Inhalt / Contents

6   RO'MA – oder die Freude am gemeinsamen Wirken
von Walter Smerling

10   RO'MA – Or the Pleasures of Collaboration
by Walter Smerling

14   Erinnerung an das Diptychon – Zu einer Ausstellung
von Rosemarie Trockel und Markus Lüpertz
von Siegfried Gohr

20   Reminiscences of the Diptych – On an Exhibition
by Rosemarie Trockel and Markus Lüpertz
by Siegfried Gohr

27   Rosemarie Trockel

49   Markus Lüpertz

74   Biographien / Biographies

84   Impressum / Colophon

RO'MA – oder die Freude am gemeinsamen Wirken

„Für unsere Studenten nur das Beste", so heißt es auf der Treppeninschrift der Düsseldorfer Kunstakademie, jenem Ort, an dem Markus Lüpertz und Rosemarie Trockel als Professoren ihren Schülern die Idee von Kunst vermitteln. Mit der Ausstellungsreihe „Akademos", in der wir mit Hubert Kiecol, Siegfried Anzinger, Rissa und A.R. Penck bereits vier Professoren der Düsseldorfer Akademie präsentieren konnten, wollen wir zeigen, was sich hinter dieser Treppeninschrift verbirgt. „Das Beste", so scheint der Text zu suggerieren, ist das Werk und das Denken der lehrenden Künstlerinnen und Künstler.

Dass es diesmal gelungen ist, gleich zwei so renommierte Künstler für die „Akademos"-Ausstellung zu gewinnen, ist im wesentlichen Rosemarie Trockel zu verdanken. Es war ihr Wunsch, sich an einer „Akademos"-Ausstellung zu beteiligen, „aber nur gemeinsam mit Markus Lüpertz", der neben seinem Lehrauftrag als Professor seit Mitte der 80er Jahre auch Rektor der Akademie ist. In dieses Amt wird er in allen Wahlperioden wieder und wieder gewählt, weil er sich unermüdlich für den Akademiebetrieb, dessen Verwaltungsapparat, vor allem aber für die traditionelle Lehre einsetzt.

„Akademos" verweist auf den heiligen Hain der Antike, in dem sich Platons Philosophenschule befand. Dort trafen einst die Gelehrten und Denker, die Wissenden und Forschenden zum Diskurs und Austausch zusammen. Heute ist das Museum der Ort für Künstler und Kunstinteressierte. Wir wollen im MKM die aktuelle Arbeit und das Denken der Künstler inszenieren. Ihre Bereitschaft, sich immer wieder auf Themen einzulassen, die sie bewegen, ist für uns eine starke Motivation, schafft Enthusiasmus und Engagement, ohne die man ein solches Projekt nicht machen kann. Mit „Akademos" setzen wir ein besonderes Zeichen des Interesses für die Düsseldorfer Kunstakademie, für ihre Lehre, ihr Wirken, ihre Möglichkeiten.

Es ist es besonders reizvoll, immer wieder aufs Neue den Dialog zwischen der Sammlung des MKM und den Wechselausstellungen zu versuchen, und natürlich wünschen wir uns diesen Dialog auch zwischen der neuen Sammlung Ströher und den aktuellen Entwicklungen im Akademiebereich. Rosemarie Trockel und Markus Lüpertz sind beide umfangreich in der Sammlung vertreten. Ihre Rolle als Künstler und Lehrer kann in diesem Zusammenspiel im MKM also eindrucksvoll wahrgenommen werden.

Beide Künstler wissen selbstverständlich, dass Kunst im wissenschaftlichen Sinne nicht lehrbar ist, sondern vielmehr das Resultat eines Prozesses schöpferischer Selbstbestimmung ist, und natürlich gehen sie mit ihren Studenten in dieser Hinsicht sehr behutsam um und vermitteln ihnen, was schöpferisches Handeln und eigene Kreativität sein können, in welche Formen sie sich übertragen lassen. Erfolgsgarantien sind dabei ausgeschlossen. Die wesentliche Voraussetzung scheint die künstlerische Besessenheit zu sein, mit der man ans Werk geht – und Rosemarie Trockel und Markus Lüpertz sind zwei Künstler voller Gegensätze, aber mit einer großen gemeinsamen Obsession, der Kunst.

Gegensätzlicher als RO'MA kann eine Ausstellung, kann die Programmatik zweier Künstler nicht sein. Rosemarie Trockel ist der Inbegriff der Transzendenz. Ihre Werke aus unterschiedlichsten Bereichen und in unterschiedlichsten Formen haben scheinbar kein Ende. Künstlerisch zerschlägt sie die angeblich unlösbaren Knoten der Wissenschaft. Rosemarie Trockel beschäftigt sich mit Soziologie, mit Verhaltensforschung, mit Psychoanalyse. Man könnte sie auch eine Zivilisationskünstlerin nennen, die den banalen Alltags- und Medienklischees mit Humor und technischer Raffinesse, mit Sentimentalität und Strategie begegnet.

Markus Lüpertz verkörpert pure Malerei und Bildhauerei und schafft mit seinen künstlerischen Prinzipien gleichermaßen die Reise in die kunsthistorische Vergangenheit wie in die Zukunft. Er malt gegenständlich, greift traditionelle Motive auf – Landschaften, Stilleben, figürliche Szenen, einzelne Köpfe und Gestalten –, aber er verfremdet sie auf oft ungewöhnliche Weise. Das gilt ebenfalls für seine Skulpturen.

RO'MA präsentiert eine besondere Auswahl von Zeichnungen und Skulpturen, bzw. Objekten beider Künstler. Die Ausstellung ist gemeinsam geplant, eingerichtet und gehängt worden und entspricht damit der Authentizität der künstlerischen Vorgabe. Es gab Momente der Entdeckungen, Überraschungen und Faszination, denn die dezidiert auf Gemeinsamkeit ausgerichtete Art der Vorbereitung durch zwei Künstler, die an der Ausstellung als gemeinsamem Werk interessiert sind, ist nicht üblich.

An dieser Stelle danke ich ganz besonders Rosemarie Trockel und Markus Lüpertz für dieses außergewöhnliche Engagement. Zu jeder Zeit spürt man in der Ausstellung das konstruktive gemeinsame Handeln und Vorgehen. Mein herzlicher Dank gilt auch den Galeristen der Künstler, Monika Sprüht und Michael Werner, die das Projekt von Anfang an unterstützt haben. Gemeinsam haben wir das Ausstellungskonzept sehr nachdenklich, zu Beginn sogar zögerlich, aber gleichwohl engagiert erarbeitet. Erstmalig wird das „Akademos"-Projekt auch im Ausland präsentiert, in der Londoner Albion Gallery. Deren Direktor Michael Hue-Williams möchte ich herzlich für die Zusammenarbeit und die Ermöglichung der Präsentation in London danken. „Akademos" wäre ohne die intensive Zusammenarbeit mit der Düsseldorfer Kunstakademie und den Mitarbeitern der Künstler nicht realisierbar gewesen, an dieser Stelle ein herzliches Dankeschön an alle Beteiligten, insbesondere an Siegfried Gohr, dem wir u.a. den Katalogbeitrag verdanken. Manche Entscheidungen sind sehr spontan getroffen worden, mit entsprechend kurzfristigen Notwendigkeiten für Leihgaben. In diesem Zusammenhang möchte ich dem Kunstmuseum Bonn, dem Kölner Museum Ludwig und dem Sammlerehepaar Sylvia und Ulrich Ströher sehr herzlich danken.

Voraussetzung für die Realisierung der Ausstellungen im MKM ist die Unterstützung durch Unternehmen, die an einer intelligenten Verbindung zwischen Kultur und Wirtschaft interessiert sind. Das maßgebliche finanzielle Engagement unseres Hauptsponsors, der SEB AG, begleitet uns nun schon seit Jahren und hat zu einer hervorragenden Zusammenarbeit geführt und zu Ergebnissen, die alle Beteiligten erfreuen. Hierfür gilt dem Unternehmen mein aufrichtiger Dank.

Dem Besucher und Betrachter des Katalogs wünsche ich, dass er ebenfalls von der Energie der Werke und der dahinter stehenden kreativen Prozesse angesteckt wird. RO'MA nährt die Neugierde auf den höchsten Ausdruck von Kunst und macht Lust auf mehr. Die Vorbereitung der Ausstellung war ein spannendes Vergnügen für das Team der Stiftung für Kunst und Kultur e.V. und des MKM. Jetzt sind wir gespannt auf das Publikum.

Walter Smerling
Direktor MKM
Geschäftsführender Vorstand Stiftung für Kunst und Kultur e.V.

RO'MA – Or the Pleasures of Collaboration

"For Our Students, Nothing But the Best," reads the inscription on the stairway of the Düsseldorf Academy of Art, where Markus Lüpertz and Rosemarie Trockel serve as professors and convey their conception of art to students. Our exhibition series "Akademos", which has previously featured the work of four other academy professors – Hubert Kiecol, Siegfried Anzinger, Rissa, and A.R. Penck – hopes to fill this inscription with meaning. "The best," it seems to imply, is the work and thinking of the artists who teach there.

Our success in gaining the cooperation of two so renowned artists for the present "Akademos" exhibition was due primarily to Rosemarie Trockel. She expressed her desire to participate in the exhibition series, but, she added, "only if Markus Lüpertz joins me." Lüpertz, apart from his professorship, has served as rector of the academy since the mid 1980s. His regular confirmation in this post every election period is due to his untiring devotion to the running of the institution, its administration, and above all to traditional teaching activities.

"Akademos" alludes to the sacred grove of Antiquity, the site of Plato's school of philosophy, where scholars and thinkers, mentors and protegés, once gathered for discourse and exchange of opinions. Today's museums stand in this tradition, being places where artists and those interested in art convene. We at the MKM see our purpose in encouraging the work and thinking of contemporary artists. Their continual readiness to address subjects that move them represents a strong motivation for us, triggers an enthusiasm and commitment without which a project of this kind would not be possible. The "Akademos" series is a special token of our interest in the Düsseldorf Academy, its teaching, influence and potential.

It is especially intriguing to encourage ever-new dialogues between the MKM collection and our changing exhibitions, and naturally we hope to extend this dialogue to one between the new Ströher Collection and current developments at the academy. Since both Trockel and Lüpertz are extensively represented in the museum's collection, the present interplay at the MKM is certain to shed special light on their role as artists and mentors.

Both artists are naturally aware that art is not teachable in the strict, scientific sense, but represents the result of a process of creative self-determination. As this implies, they treat their students with great sensitivity, conveying an idea of what creative activity and originality can mean and what forms these might take. In this field there can be no guarantee of success. The key precondition for a career in art would seem to be an obsession with one's work – and although Trockel and Lüpertz are certainly very different in other respects, they do share one great obsession in common, that of art.

It would be hard to imagine an exhibition devoted to two approaches more distinct from one another than those represented in RO'MA. Rosemarie Trockel's art is an embodiment of transcendence. Her works in highly diverse fields and forms apparently know no limits. Using the means of art, she cuts the Gordian knots of science. Trockel concerns herself with sociology, behavioral research, psychoanalysis. One might describe her as an artist of civilization who confronts the banal clichés of ordinary life and the media with humor and technical refinement, with sentimentality as a strategy.

Markus Lüpertz embodies pure painting and sculpture, and his aesthetic principles permit him to embark on a journey that takes him both back into the history of art and forward into its future. Lüpertz paints in an objective style, employing traditional motifs – landscapes, still lifes, figurative scenes, individual heads and figures – only to alienate them in a frequently unusual and surprising way. This holds for his sculptures as well.

RO'MA presents a special selection of drawings, sculptures and objects by the two artists. The exhibition was jointly planned, designed and installed, and thus authentically reflects the artists' conception. There were moments of discovery, surprise and fascination, as befitting such an unusual undertaking as a cooperation of this kind on the part of two artists interested in creating an exhibition as a collaborative project.

At this juncture I wish to thank Rosemarie Trockel and Markus Lüpertz for their extraordinary commitment to the project. Their constructive mutual cooperation made itself evident at every stage. I am also extremely grateful to the artists' dealers, Monika Sprüht and Michael Werner, who generously supported the project from the start. Together we devoted much thought to the conception of the show, at first almost hesitantly, but with increasing engagement. For the first time, an "Akademos" project is to be shown abroad as well, at the Albion Gallery in London. I wish to cordially thank its director, Michael Hue-Williams, for his cooperation and for enabling the presentation in London. "Akademos" would never have been possible without the close cooperation of the Düsseldorf Academy of Art and the artists' assistants. Let me express my appreciation to all concerned, especially to Siegfried Gohr, whose help went far beyond his fine catalogue essay. Since many decisions were reached spontaneously, the loan requests were accordingly urgent and short-term. For the generosity they showed in this connection I am very grateful to the Kunstmuseum Bonn, the Museum Ludwig in Cologne, and the collectors Sylvia and Ulrich Ströher.

The organization of exhibitions at the MKM relies heavily on sponsors who are concerned to further an intelligent relationship between culture and commerce. The crucial financial commitment of our main sponsor, SEB AG, has accompanied us for years now, leading to excellent teamwork and to results of which we all can be proud. My sincere thanks are due to the corporation in this regard.

May those who visit the exhibition and peruse the catalogue be infected by the energy of the works and the creative processes that went into their making. RO'MA is capable of fuelling curiosity about art at its highest level, and creating an appetite for more. The preparation of the exhibition was a suspenseful pleasure for the team of the Foundation for Art and Culture and the MKM. Now we look forward to the audience and their reactions.

Walter Smerling
Director, MKM
Managing Director, Foundation for Art and Culture Bonn

Erinnerung an das Diptychon

Zu einer Ausstellung von Rosemarie Trockel und Markus Lüpertz

von Siegfried Gohr

Die Moderne hat uns gelehrt, jeden Künstler als einmalig, unverwechselbar, individuell, ja genial wahrzunehmen. Wenn Künstler sich mit ihresgleichen beschäftigten, einließen oder umgaben, geschah dies manchmal in Freundschaft, öfter jedoch in programmatischer Absicht und meistens nur für die kurze Zeit eines gemeinsamen Projektes. Unverwechselbarkeit gehörte zu den wichtigsten Zielen der Künstlerstrategie der Moderne als dem Zeitalter der Konkurrenz.

Wenn sich Rosemarie Trockel und Markus Lüpertz entschlossen haben, eine gemeinsame Ausstellung zu veranstalten, dann wird der Alleinstellungsanspruch des Künstlers für einmal aufgehoben; eine Art von Wettstreit und direkter Konfrontation scheint zugelassen, die im gegenwärtigen Kunstsystem eigentlich nicht vorgesehen ist. Meistens haben sich die Künstler der Moderne aus einer sicheren Distanz im Auge behalten, z. B. Pablo Picasso und Henri Matisse oder Max Beckmann und seine französischen Zeitgenossen. Erst posthum wurden solche Konstellationen in Ausstellungen der letzten Jahre visuell nachgestellt. Die klassische Moderne kennt allerdings eine Reihe von Künstlerpaaren, die auch schon zu Lebzeiten zusammen gesehen und rezipiert wurden. Seit der Neubewertung der Leistung von Künstlerinnen der Moderne wurden diese Paare und ihre Beziehung neu in den Blick gerückt; dies betraf zum Beispiel die Werke von Hans Arp und Sophie Taeuber, Wassiliy Kandinsky und Gabriele Münter, Jackson Pollock und Lee Krasner, um nur einige zu nennen. Indem deren Werke in Ausstellungen wiedervereinigt wurden, tauchten die Fragen nach dem gegenseitigen Einfluss und der dennoch bestehenden Eigenständigkeit der Partner auf.

Rosemarie Trockel und Markus Lüpertz passen in keine der hier angeführten Kategorien, denn sie gehören zwar derselben Akademie an, aber ihre jeweiligen künstlerischen Positionen sind, wie auf den ersten Blick zu erkennen ist, ziemlich weit voneinander angesiedelt. Generationsmäßige Unterschiede, die Differenz der Geschlechter, ihre unterschiedlichen Metiers lassen sich nicht leicht harmonisieren. So erscheint es richtiger, die gemeinsame Ausstellung in eine fast vergessene Denkfigur der Tradition einzuordnen, nämlich den Künstlerwettstreit. Denn dieser kann ein persönliches Kräftemessen bedeuten, aber auch die Konkurrenz der Kunstkonzepte und die Überprü-fung der jeweiligen Wirkungskraft der Werke. Aus der Antike sind berühmte und amüsante Künstleranekdoten überliefert, die vom Wettstreit, vom „Agon", männli-cher Künstler untereinander berichten. Während der Renaissance konnte diese Idee mit neuem Leben erfüllt werden, und es gab in Florenz und Venedig einige Situatio-nen, wo die Künstler tatsächlich mit Werken gegeneinander antraten, zumal anlässlich von Wettbewerben. Sich auf ein solches Kräftemessen einzulassen, zeugt bei den bei-den heutigen Künstlern von Selbstbewusstsein und Souveränität, aber auch von einer ursprünglichen ästhetischen Neugier, die das Risiko nicht scheut – und das bedeutet angesichts heutigen Absicherungsdenkens eine bemerkenswerte Tatsache.

Wenn man vor diesem Hintergrund die Ausstellung weiter bedenkt, so kann man sie auch wie ein Diptychon sehen, wie ein Bild, das aus zwei ganz verschiedenen Flügeln zusammengefügt wurde.

Schon lange vor dem Beginn der Moderne war das Diptychon aus der ständigen Pra-xis der Malerei verschwunden. Das Zweiflügelbild hatte oft zur Darstellung von Mann und Frau, in der Regel durch ehelichen Stand miteinander verbunden, oder zum Ge-genüber eines Porträts mit einem religiösen Thema gedient. Was soll aber im jetzigen Zusammenhang die Erinnerung an das Diptychon? Tatsächlich kann man die Doppel-ausstellung ja als Ganzes wie ein Diptychon sehen. Dann wären die jeweiligen Beiträ-ge nicht nur Porträts, sondern in diesem Falle sogar wie Selbstbildnisse der Künstler zu sehen, ausgewählt für eine bestimmte Situation, die in zwei Richtungen weist, und dennoch durch ein verborgenes Scharnier verbunden bleibt. Und deshalb kann eine Anmutung von Nähe und Ferne entstehen, von Gegensätzen, die dialektisch ineinan-der verschränkt sind, von Anschauung und Reflexion, von Ernst und Groteske.

Motive – Das Bein und der Spiegel

Der Rücken und das Bein – Motive, die für gewöhnlich nicht für den ganzen Men-schen stehen, sondern eher für das Beiläufige, Nebensächliche und Abweisende wurden von Markus Lüpertz und Rosemarie Trockel ins Zentrum gerückt. Die Künstlerin denkt zudem die Beine, die sie von Mädchen abgegossen hat, mit Spiegeln und Stoff- oder Kleiderteilen zusammen. Diese Elemente erscheinen jedoch nicht in der zweck-mäßigen Weise aufeinander bezogen wie bei Edgar Degas. Dieser malte die Tänzerin-nen und die Spiegelwände als spektakuläre optische und körperliche Sensationen. Während die Mittel seiner Malerei und vor allem die sprühenden Effekte seiner Pa-stelle die Beweglichkeit, den Reiz und den Charme der Tänzerinnen zu feiern schei-nen, wird der Blick des Betrachters eigentlich nur auf fragmentierte Körper gelenkt – und man erschrickt nach der ersten Verzückung; denn die wirklichen Körper erschei-nen unter der brillanten Oberfläche wie müde, zerteilt, von den Personen gleichsam wegdriftend. Ein Hauch von Traurigkeit legt sich über die Szenen und entlarvt den Tanz als ein träumerisches Ertragen einer Welt, die sich dem Zugriff zu entziehen scheint. Und doch schimmert auch ein gewisses Glück durch die Farben, nämlich das Bewusstsein, im Tanz, in seinem Vagen und Ungefähren eine träumerische Identität er-schaffen zu können. So oder ähnlich könnte die traditionelle Interpretation des Mo-tivs „Bein und Spiegel" lauten, das von Rosemarie Trockel zitiert, aber bald in ein sehr kompliziertes optisches und semantisches Netzwerk verstrickt wird. Während sich bei Degas durch alle Künstlichkeit hindurch noch „Natur" ahnen lässt, verfremdet die Künstlerin von heute alles, was zu sehen ist, von Grund auf. So können Gegenstände zu Spiegeln mutieren, die von ihrer ursprünglichen Bedeutung dazu völlig ungeeignet sind, wie eine Holztür oder ein Amulett. Alle Objekte, die, an der Wand hängend, den Beinen gegenüber erscheinen, sind aus Keramik geformt und anschließend diesem Material durch eine silberne Haut wieder völlig entfremdet worden. Spiegel und skulpturales Objekt, Reflektion und Blindheit, Verfremdung und Identität kreuzen sich in den Spiegeln auf verblüffende Weise. Nun setzte sich dieses Verfahren bei der Ge-staltung der Beine fort. Auch diese Abgüsse von realen Körperteilen wurden nach dem Brennen mit silberfarbenem Material überzogen und verloren jede Anmutung von Leibhaftigkeit. Es erscheint schwierig, hier noch von Körperbildern zu sprechen, zu phantastisch wirken die spiegelnden Beine vor massiven Spiegeln, die sich als Objekte in die zu spiegelnde Realität mischen. In einer kühlen Versuchsanordnung untersucht Rosemarie Trockel die Fragmente von Weiblichkeit und Schönheit, für die Tanz- und Spiegelbild seit alters her stehen, und sie enthüllt die Spuren einer Mechanik, die Illusion heißen könnte und doch im nächsten Augenblick zerfällt. Präzise in dem Zwischenraum von Spiegel und Bein entsteht die Leere, in der ein Körperbild vielleicht entstehen oder auch verschwinden kann. Die bildnerische Situation beschwört eine strukturelle Schwäche, eine Leere, die sich als eine mögliche Stärke der Versuchsanordnung herausstellt.

Motive – Der Rücken

Die optische Vokabel „Rückenakt" wurde in Malerei, Zeichnung und Skulptur immer wieder neu erlernt. Meistens war es der weibliche Rückenakt, der seit der Renaissance auf der Suche nach Schönheit studiert wurde. Bis zu den monumentalen Bronzereliefs von Henri Matisse lässt sich dieses Interesse lückenlos durch mehrere Jahrhunderte verfolgen. Wenn der männliche Rückenakt gestaltet wurde, spielte meistens die Absicht, Kraft und Stärke darzustellen, eine maßgebliche Rolle. In den entsprechenden Zeichnungen von Raffael und seinem Umkreis, von Michelangelo oder Peter Paul Rubens wurde dieses Genre entwickelt, das bis ins 20. Jahrhundert immer wieder neu interpretiert wurde. An dieser Stelle sei nur auf zwei Beispiele verwiesen – auf die Federzeichnungen männlicher Rückenakte von Fernand Léger, die in dessen Werk seit den dreißiger Jahren auftauchten. Manchmal wird ihr Stil bezeichnet als „à la manière de Dürer", was einen Weg zurück zur Renaissance weist. Andere Beispiele finden sich im Werk von Max Beckmann, der seit seiner frühen Figurenerfindung der „Jungen Männer am Meer" immer wieder das Thema variiert hat. Beckmanns Bildidee antwortet auf Hans Marées zahlreiche männliche Rückenakte, z. B. in dessen Triptychen. Dieser oft zu Unrecht vernachlässigte Künstler am Beginn der eigentlichen Moderne in Deutschland hat zuletzt auch Markus Lüpertz fasziniert. Zum Ausdruck von Kraft fügt

Marées in seinen wechselnden Ansichten ganzfiguriger stehender Männerakte etwas Abstraktes hinzu, das oft als idealisch gedeutet worden ist. Es lässt sich dem aber noch eine andere Wendung geben, die aus der Perspektive von Markus Lüpertz prägnanter sichtbar wird. Denn bei aller Berechtigung, Marées' Männerakte als Nachhall deutscher Antikensehnsucht zu deuten, darf nicht übersehen werden, dass die Präsenz der Körper im Bildraum und ihre Plastizität auf dem Bildgrund geradezu greifbar werden. Und diese Tendenz verstärkt Lüpertz in seinen Rückenakten dadurch, dass er nur Fragmente zeigt, oft den Unterleib, und diesen mit Händen oder Armen als frei schwebenden Details umgibt. Es entsteht ein merkwürdig zwiespältiger Eindruck, denn einerseits strahlen die Körperteile Kraft aus, andererseits wirken sie in gewisser Weise hilflos, was sich in einem Verharren auf der Bildfläche ausdrückt, das gerade nicht selbstverständlich in sich ruht, aber auch nicht vor noch zurück weiß. Die Binnenzeichnung der Aktfragmente fügt den Volumina häufig eine Art von Vibration hinzu, eine Unruhe, die wegen der Abwesenheit von Blicken oder Gesten nicht ins Psychologische aufgelöst werden kann.

In der Abwendung des Motivs vom Betrachter kommt jedoch noch eine andere Dimension zum Vorschein, die auf eine Selbstbezogenheit hinweist, die auch Konzentration bedeuten kann. Wenn man sich für wenige Augenblicke vorstellt, die Bronzefigur des „Denkers" von Auguste Rodin vor Augen zu haben, und sich in Gedanken um diese Skulptur herumbewegt, wozu die Rundheit ihrer Gestaltung einlädt, dann erscheint der Rücken des Denkers wie eine Inkarnation nach innen gewendeter Sammlung. Denn Rodin gestaltete die scheinbar nebensächliche Rückenansicht genauso intensiv und plastisch wie den Kopf mit dem stützenden Arm. Unter diesem Blickwinkel bedeutet auch bei Lüpertz der Rückenakt beides — eine Abwendung und zugleich ein Bei-sich-Sein, eine Konzentration, die aus dem Augenwinkel auch um den ästhetischen Reiz der eigenen körperlichen Schönheit weiß. Gerade indem er den beiläufigen, den vernachlässigten Blick auf den unteren Rücken so betont und immer wieder variiert, steigert der Künstler das Bild einer Selbst-Akzeptanz, die insgeheim doch unruhig bleibt.

Provisorische Symmetrie

Wenn bei Rosemarie Trockel von der Leere im Zentrum der Motivik von Spiegel und Bein und deren Auffüllung durch das Werk gesprochen werden konnte, so gilt bei Markus Lüpertz etwas Umgekehrtes, denn wie bei Marées wird der Blick des Betrachters zuerst durch die eindrucksvolle Präsenz des Körpers angezogen, zumal Lüpertz durch die Fragmentierung das Augenmerk noch stärker konzentriert. Aber nach der Wahrnehmung einer Demonstration von Kraft beginnt sich die Wahrnehmung zu verändern. Wie sind die scheinbar selbständigen Arme und Hände zu verstehen? Wie die Trennungen des Gesäßes vom Rumpf? Wie kann sich die Leere unmerklich in diese Körper einnisten?

Von unterschiedlichen Richtungen herkommend stellen sich den Künstlern immer mehr Fragen. Die narzisstische Situation, die beide gestalten, löst sich nicht auf, aber wird als solche sichtbar gemacht, wenn Lüpertz zum Beispiel Arme und Hände zeigt, die nichts verrichten können, da sie von ihrem Körper getrennt wurden. Diese Organe könnten einen Weg zum Realen andeuten, zur Handlung, zum Pragmatischen, aber sie sind unfähig, die Wirklichkeit zu ergreifen, oder diese ist ihnen entglitten – das lässt sich nicht entscheiden.

Der Tanz vor dem Spiegel symbolisiert eine andere Art von Vergeblichkeit, denn auch hier gelangt der selbstverliebte Traum nicht aus dem Zirkel heraus, der durch die Selbstbespiegelung gegeben ist. Es erscheint verlockend, von hier aus auf das Verhältnis von Mann und Frau zu schauen und sich zu allgemeingültigen Diagnosen inspirieren zu lassen. Hier lauern jedoch die Gefahren der Rollenzuweisungen und der Klischees, die durch die Kunst von Rosemarie Trockel und Markus Lüpertz gerade geprüft werden. Traum und Präsenz sind in ihren Darstellungen nicht symmetrische Gegensätze von unüberwindlicher Beharrungskraft, sondern vielfältig ineinander verwoben, was den rechthabenden Zuweisungen Schranken setzt.

Reminiscences of the Diptych

On an Exhibition by Rosemarie Trockel and Markus Lüpertz

By Siegfried Gohr

The history of modern art has conditioned us to look upon artists as unique, original, inimitable creative people, if not even as geniuses. When artists involved themselves or collaborated with other artists, it was sometimes out of friendship, but more often with a programmatic intention, and usually only for the limited time period of a common project. Originality has been among the most important aims of artists' strategies in the modern age – the age of competition.

When Rosemarie Trockel and Markus Lüpertz decided to mount a collaborative exhibition, they put this claim to unique and solitary creativity aside, apparently inviting a kind of competition and direct confrontation which is not foreseen in the contemporary art system. Generally modern artists have kept a watchful eye on each other from a safe distance, for instance Pablo Picasso and Henri Matisse, or Max Beckmann and his French contemporaries. Only posthumously have such constellations been visually reconstructed, in exhibitions in recent years.

Yet classical modernism included a number of artist couples whose work was jointly publicized during their lifetimes. Now that the achievements of modern women artists have been re-evaluated, these couples, their relationships and their art have come into sharper focus – Hans Arp and Sophie Taeuber, Wassily Kandinsky and Gabriele Münter, Jackson Pollock and Lee Krasner, to name only a few. When their works were reunited in exhibitions, questions arose as to reciprocal influences and the autonomy nevertheless retained by each partner.

Rosemarie Trockel and Markus Lüpertz do not fit into any of the above categories, because although members of the same academy, their artistic approaches are evidently quite distinct. Differences between generations, genders and metiers are not easily reconciled. This being so, it seemed more apposite to categorize their shared exhibition under an almost forgotten rubric – that of the artists' competition. This can imply a testing of personal powers, but also a contest between different conceptions of art and a monitoring of the force and effect of the works concerned. Greco-Roman antiquity is rife with famous and amusing anecdotes about competitions, agons, among male artists. During the Renaissance this idea was infused with new life. In Florence and Venice there were situations when artists actually pitted their works against each other, especially, of course, in official competitions.

In the case of the two contemporary artists Trockel and Lüpertz, such a testing of powers reflects great self-confidence and equanimity, but it also attests to a deep-seated aesthetic curiosity that is prepared to take risks – a remarkable fact in view of today's ubiquitous security thinking. When the exhibition is viewed in this light, it brings a diptych to mind, a picture made up of two distinct pictures or wings, which can be quite different in character.

Long before the inception of modernism, the diptych form had vanished from everyday painting practice. Earlier the two-winged picture had often served the depiction of man and woman, as a rule married couples, or the juxtaposition of a portrait with a religious subject. But how does this reminiscence of a diptych apply to the current context? This dual exhibition can indeed be viewed, as a whole, in terms of a diptych. The two artists' contributions can be understood not only as portraits but as self-portraits, selected for a certain situation that has two distinct aspects but that nevertheless remains connected by an invisible hinge. This explains the presence of an evocation of proximity and distance, of opposites that are dialectically interrelated, of vision and reflection, earnestness and grotesquerie.

Motifs – The Leg and the Mirror

The human back and leg – motifs that do not usually stand for the entire figure but for the incidental and secondary, or for a turning away – have been brought into the center of interest by Rosemarie Trockel and Markus Lüpertz. The woman artist, moreover, has associated the castings of legs, taken from living girls, with mirrors and fragments of textiles or clothing. Yet these elements do not seem interrelated in the logical way seen, for instance, in the art of Edgar Degas. Degas depicted dancers and mirrored walls as spectacular optical and physical sensations. While the means of his painting, and above all the brilliant effects of his pastels, seem to celebrate the motion, charm and delightfulness of the dancers, the viewer's eye is inexorably drawn to their bodies – and our initial delight gives way to dismay. The real bodies under the brilliant surface appear exhausted, as if disassociated and drifting away from their owners. A veil of sadness descends over the scene, revealing the dance to be a dreamlike enduring of a world that seems to elude the dancers' grasp. And yet a certain happiness shimmers through the colors, the consciousness of being able to derive from the dance, its vagueness and approximation, a fleeting, dreamlike identity. Something along these lines may represent the traditional interpretation of the motif "leg and mirror" Trockel quotes, only to immediately weave it into a very complex visual and semantic network. Whereas with Degas, "nature" can still be sensed behind all the artificiality, the contemporary artist thorougly alienates everything that meets the eye. For instance, objects may mutate into mirrors, things whose original meaning renders them entirely unsuited to reflecting light, such as a wooden door or an amulet. All of the objects hanging on the wall opposite the legs were made of ceramics, then completely estranged from this material by covering them with a silvery skin. Mirror and sculptural object, reflection and blindness, alienation and identity, intersect in a baffling way in these mirrors. What is more, the same process has been applied to the treatment of the legs. These castings from real limbs, after kilning, were covered with a silvery material which deprives them of all suggestion of corporeality. It would not seem meaningful to speak of body images here, since the effect of the reflecting legs in front of massive mirrors that intrude themselves as objects into the reality reflected is too fantastic for that. In a cool experimental setup, Trockel investigates those fragments of femininity and beauty for which images of dancers and mirrors have stood since time immemorial, and she unmasks traces of a mechanism that might be called illusion and yet dissolves the next moment. Precisely in the intermediate space between mirror and leg emerges a void in which the physical image can both take shape and vanish. The pictorial situation invokes a structural weakness, an emptiness that turns out to be a potential strength of the experimental setup.

Motifs – The Back

The visual term "nude seen from the back" has been rehearsed again and again in the history of painting, drawing and sculpture. Usually it was the female back on which artists have concentrated on their quest for beauty since the Renaissance. This interest can be traced seamlessly through the centuries, all the way down to Henri Matisse's monumental bronze reliefs. When the male back was represented, it was generally with an eye to evoking power and stamina. This genre, developed in the drawings of Raphael and his circle, Michelangelo, and Peter Paul Rubens, experienced continually new reinterpretations down into the twentieth century. Let me mention only two examples. The first is Fernand Léger's pen and ink drawings of male nudes from the back, which began to appear in his work in the 1930s. Sometimes their style is described as "à la manière de Dürer," which points back to the Renaissance. The second examples are found in the art of Max Beckmann, whose early figurative invention, "Young Men by the Sea," led to numerous further variations in the course of his career. Beckmann's visual idea was a reply to Hans von Marée's many back views of male nudes, as seen, for instance, in his triptyches. This artist who stood at the beginning of true modernism in Germany, often unjustifiably neglected, has been a source of fascination to many subsequent artists, not least Markus Lüpertz. To the expression of masculine strength in his various views of full-figure, standing men, Marées added a factor of abstraction, which has frequently been interpreted as idealistic. In fact he gave this tendency a different turn, one that is emphasized in the vantage point assumed by Lüpertz. Justified as it may be to view Marées's male nudes as an echo of the German nostalgia for antiquity, it should not be overlooked that the presence of the figures in the pictorial space and their plasticity on the ground are veritably physically tangible. Lüpertz amplifies this tendency in his back views of nudes by showing only fragments, often the lower body alone, and surrounding these with hands or arms as free-floating details. The resulting impression is strangely ambivalent. On the one hand, the body parts exude great force, yet on the other they appear in a certain sense helpless. This effect arises from the way the parts remain tied into the picture plane, neither self-contained and calm nor tending to advance or recede. The interior drawing of the figures' fragments frequently adds a kind of vibration to the volumes, a restlessness that, due to the absence of gazes or gestures, resists psychological interpretation.

The turning away of the figure from the viewer brings yet another aspect to light, a self-immersion that might possibly be read as concentration. If we recall for a moment the bronze figure of Auguste Rodin's Thinker, and imagine ourselves moving around it – as its powerful volumetric treatment invites us to do – the figure's back is like an incarnation of introverted concentration. Rodin in fact conceived the apparently secondary back view with as much sculptural intensity as the head with its supporting arm. Seen in this light, Lüpertz's back views of nudes likewise convey both – a turning away and, at the same time, a self-contained equanimity, a concentration in which the figure remains aware, as out of the corner of his eye, of the aesthetic charm of his own physical beauty. Precisely by emphasizing the secondary, neglected area of the lower back and subjecting it to repeated variation, the artist heightens the image of a self-acceptance that nevertheless remains tacitly insecure.

Provisional Symmetry

If in Trockel's case we could speak of the void at the center of the motif of mirror and leg, and the way in which the work fills it, for Lüpertz the opposite holds true. In his imagery, as in Marées', the viewer's eye is initially drawn to the compelling presence of the body, whose fragmentation further heightens its attraction. Yet after perceiving a demonstration of physical strength, our perception begins to shift. How can the apparently disembodied arms and hands be understood? And the separation of buttocks from torso? How has the void imperceptibly insinuated itself into these figures?

Proceeding from different premises, the imagery of these two artists raises question after question. The narcissistic situation evoked by both is not resolved, but is rendered visible for what it is, as when Lüpertz shows arms and hands that are incapable of accomplishment because they are separated from the body. These extremities might point the way to the real, to action, pragmatic activity, yet they are incapable of grasping reality, or reality has slipped out of their grasp – it is impossible to say which. The dance in front of the mirror symbolizes another kind of helplessness, because here, too, the self-loving dream cannot escape from the circle drawn around it by self-reflection. It seems tempting to proceed from this point to the relationship between male and female, and attempt to draw general conclusions. Yet here lurks the danger of role attributions and clichés of precisely the kind that the art of Trockel and Lüpertz puts to the test. In their imagery, dream and presence are not symmetrical opposites of insurmountable permanence, but are multifariously interwoven with each other. This sets definite limits on dogmatic attributions.

Rosemarie Trockel

Zum schwarzen Ferkel 1,
2006
Inkjet-Print auf Papier
26 × 19 cm

The Black Piglet 1,
2006
Inkjet print on paper
26 × 19 cm

Zum schwarzen Ferkel 2,
2006
Inkjet-Print auf Papier
26 x 19 cm

The Black Piglet 2,
2006
Inkjet print on paper
26 x 19 cm

zum schwarzen Ferkel

Zum Black Piglet

Zum schwarzen Ferkel 3,
2006
Inkjet-Print auf Papier
26 x 19 cm

The Black Piglet 3,
2006
Inkjet print on paper
26 x 19 cm

Zum schwarzen Ferkel 4,
2006
Inkjet-Print auf Papier
26 x 19 cm

The Black Piglet 4,
2006
Inkjet print on paper
26 x 19 cm

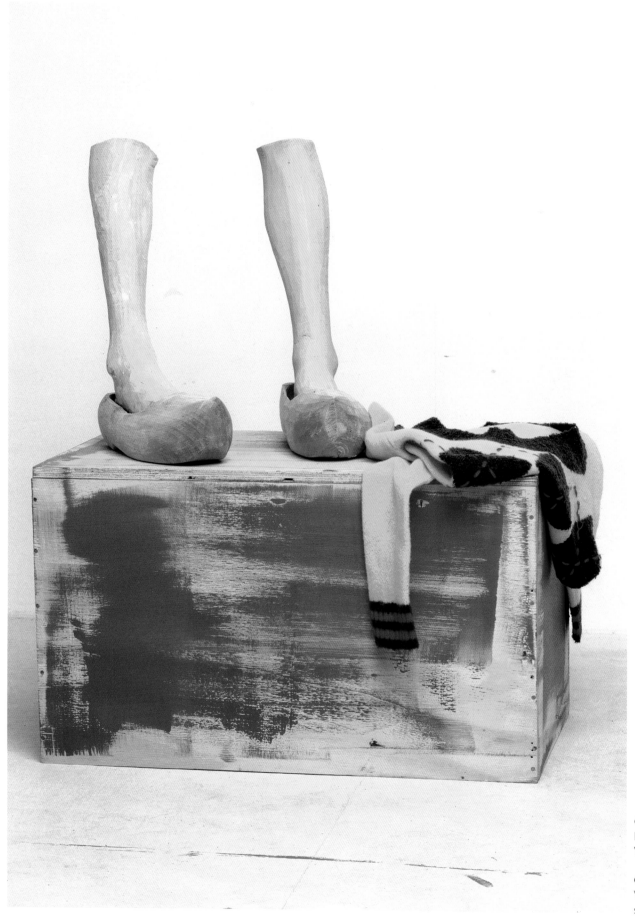

Geruchsskulptur 1, 2006
Holz, Gips, Wolle, Eisenblech,
Weihrauch, Acrylfarbe

Olfactory Sculpture 1, 2006
Wood, plaster, wool,
sheet iron, incense, acrylic

Ohne Titel, 2006
Schaumstoff,
Keramik platinglasiert
130 x 50 x 50 cm

Untitled, 2006
Styrofoam, platinum
glazed ceramics
130 x 50 x 50 cm

Abfallkugel, 2003-05
Glasierte Keramik, Stahl

Waste Ball, 2003-05
Glazed ceramics, steel

Geruchsskulptur 3, 2006
Stahlblech, Gips,
Glas, Papier,
Nylon, weiße Nelke
120 x 34 x 36 cm

Olfactory Sculpture 3, 2006
Sheet steel,
plaster, glass, paper,
nylon, white carnation
120 x 34 x 36 cm

Oh Mistery Girl 1, 2006
Mixed Media
67,5 × 57 × 3,8 cm

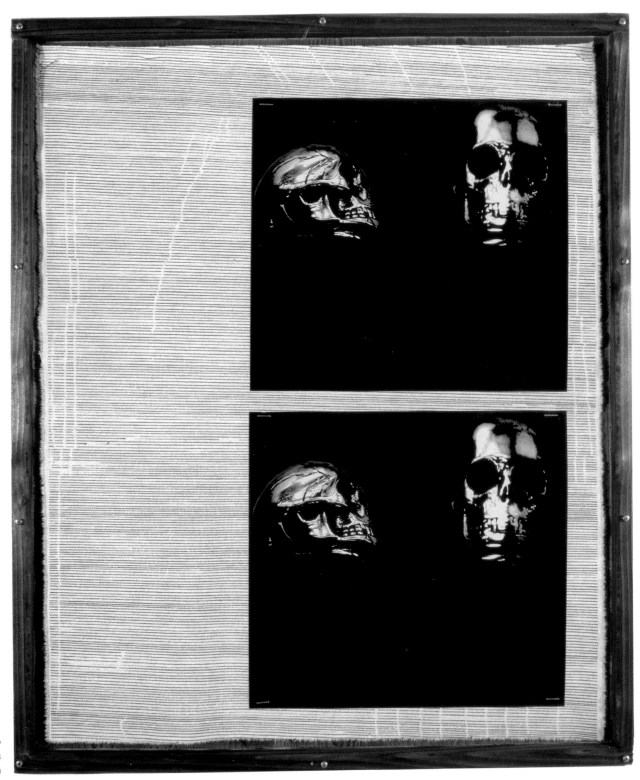

Oh Mistery Girl 2, 2006
Mixed Media
67,5 × 57 × 3,8 cm

Oh Mistery Girl 3, 2006
Mixed Media
67,5 x 57 x 3,8 cm

Oh Mistery Girl 4, 2006
Mixed Media
67,5 × 57 × 3,8 cm

La possession invisible,
2000
Buntstift auf Papier
82,6 × 67,9 cm

The Invisible Possession,
2000
Colored pencil on paper
82.6 × 67.9 cm

Schlafmohn, 2001
Acryl auf Papier
64,5 × 50,9 cm

Opium Poppy, 2001
Acrylic on paper
64.5 × 50.9 cm

Ohne Titel, 2000
Buntstift auf Papier
90 × 65 cm

Untitled, 2000
Colored pencil on paper
90 × 65 cm

Ich bin der Mann
meiner Frau, 1999
Acryl auf Papier
65 x 50,9 cm

I am My Wife's
Husband, 1999
Acrylic on paper
65 x 50.9 cm

Markus Lüpertz

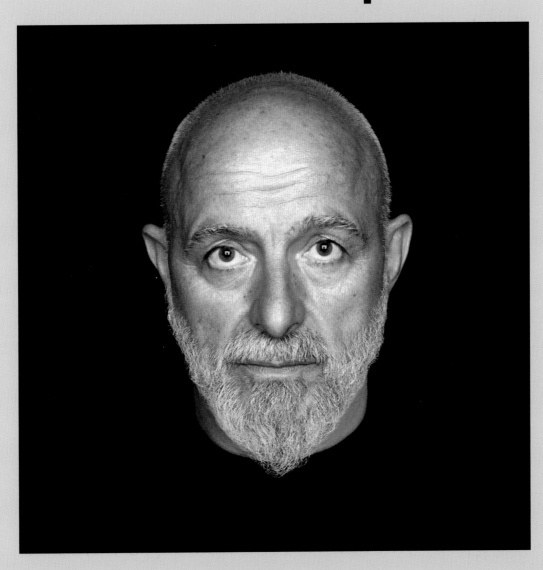

Merkur Entwurfsmodell 4, 2005
Bronze bemalt
67 x 23 x 23 cm

Mercury, Bozzetto 4, 2005
Bronze, painted
67 x 23 x 23 cm

Merkur Entwurfsmodell 1, 2005
Bronze bemalt
58 × 18 × 17 cm

Mercury, Bozzetto 1, 2005
Bronze, painted
58 × 18 × 17 cm

Merkur Entwurfsmodell 7, 2005
Bronze bemalt
71 x 30 x 29 cm

Mercury, Bozzetto 7, 2005
Bronze, painted
71 x 30 x 29 cm

Merkur Entwurfsmodell 5, 2005
Bronze bemalt
55 x 25 x 24 cm

Mercury, Bozzetto 5, 2005
Bronze, painted
55 x 25 x 24 cm

Ohne Titel
(Rückenakt), 2005
Gouache auf Papier
100 x 70 cm

Untitled (Nude Seen
from the Back), 2005
Gouache on paper
100 x 70 cm

Ohne Titel
(Rückenakt), 2005
Gouache auf Papier
85 x 61 cm

Untitled (Nude Seen
from the Back), 2005
Gouache on paper
85 x 61 cm

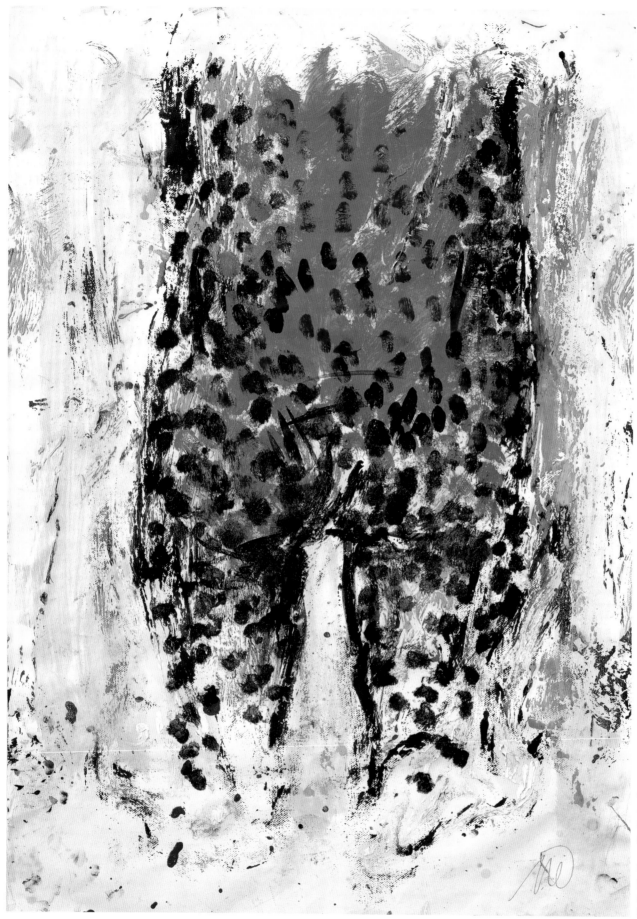

Ohne Titel
(Rückenakt), 2005
Gouache auf Papier
85,5 × 61 cm

Untitled (Nude Seen
from the Back), 2005
Gouache on paper
85.5 × 61 cm

Ohne Titel
(Rückenakt), 2005
Gouache auf Papier
85,5 × 61 cm

Untitled (Nude Seen
from the Back), 2005
Gouache on paper
85.5 × 61 cm

Ohne Titel
(Rückenakt), 2004
Gouache, Öl auf Papier
85 × 61 cm

Untitled (Nude Seen
from the Back), 2004
Gouache and oil on paper
85 × 61 cm

Ohne Titel
(Rückenakt), 2005
Acryl auf Papier
85,5 × 61 cm

Untitled (Nude Seen
from the Back), 2005
Acrylic on paper
85.5 × 61 cm

Ohne Titel
(Rückenakt), 2005
Gouache, Kreide,
Acryl auf Papier
85,5 × 61 cm

Untitled (Nude Seen
from the Back), 2005
Gouache, chalk, and
acrylic on paper
85.5 × 61 cm

Ohne Titel
(Rückenakt), 2005
Gouache, Kreide,
Acryl auf Papier
85,5 × 61 cm

Untitled (Nude Seen
from the Back), 2005
Gouache, chalk, and
acrylic on paper
85.5 × 61 cm

Ohne Titel
(Rückenakt), 2005
Gouache, Kreide,
Acryl, Tusche,
Holz auf Papier
64 × 44 cm

Untitled (Nude Seen
from the Back), 2005
Gouache, chalk,
acrylic, ink, and
wood on paper
64 × 44 cm

Ohne Titel
(Rückenakt), 2005
Gouache, Kreide,
Acryl auf Papier
85,5 × 61 cm

Untitled (Nude Seen
from the Back), 2005
Gouache, chalk, and
acrylic on paper
85.5 × 61 cm

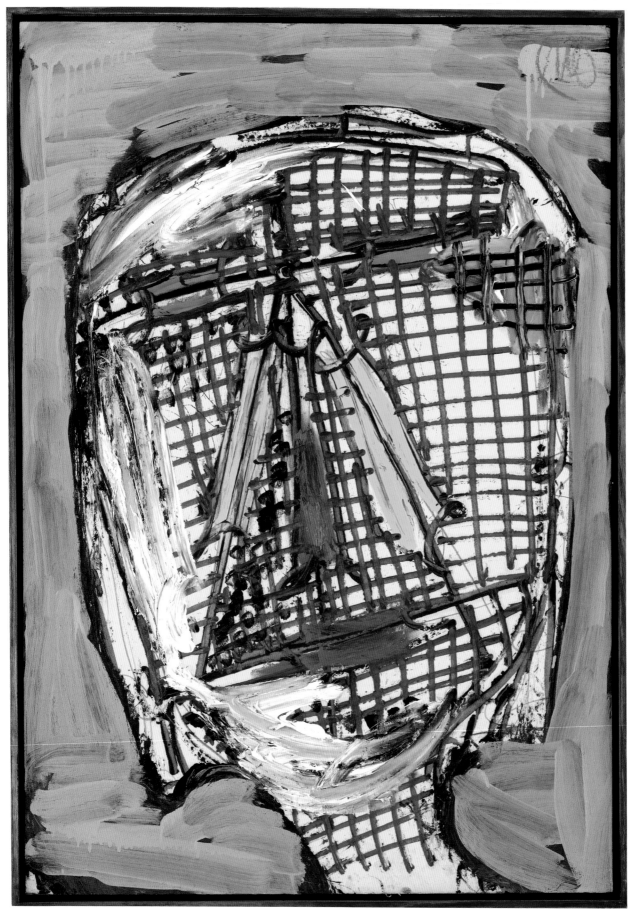

Männer ohne Frauen.
Parsifal, 1993
Öl, Temperafarbe
auf Karton
100 × 70 cm

Men without Women.
Parsifal, 1993
Oil and tempera
on cardboard
100 × 70 cm

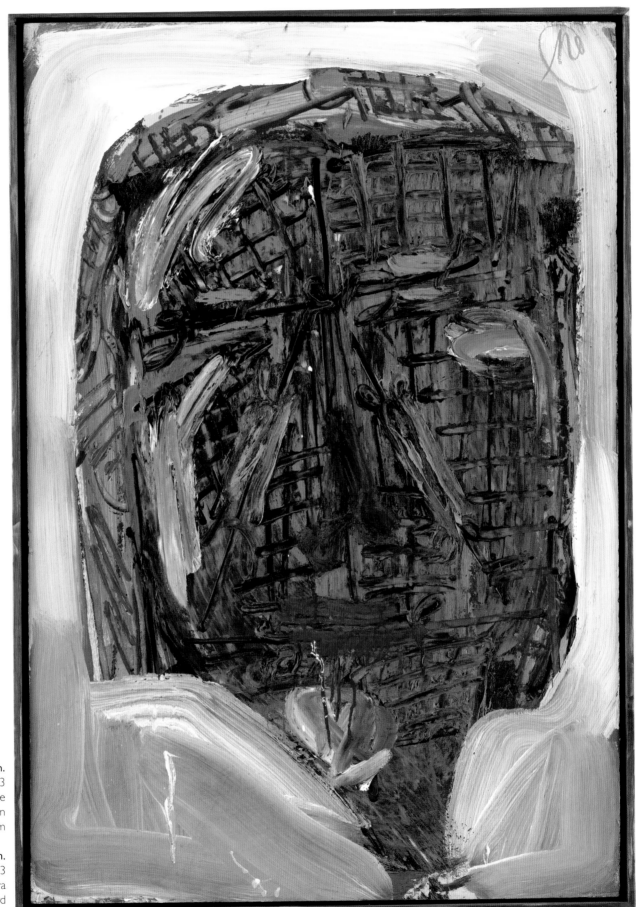

Männer ohne Frauen.
Parsifal, 1993
Öl, Temperafarbe
auf Karton
100 x 70 cm

Men without Women.
Parsifal, 1993
Oil and tempera
on cardboard
100 x 70 cm

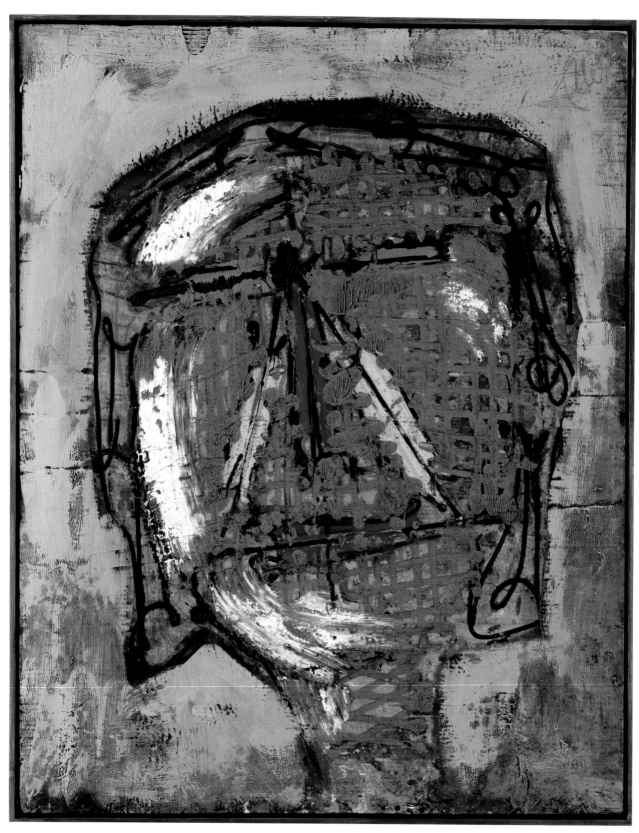

Männer ohne Frauen.
Parsifal, 1993
Öl, Temperafarbe
auf Wellpappe
121 x 96 cm

Men without Women.
Parsifal, 1993
Oil and tempera on
corrugated cardboard
121 x 96 cm

Odaliske, 1993
Bronze bemalt
124 × 84 × 95 cm

Odalisque, 1993
Bronze, painted
124 × 84 × 95 cm

Akt mit Spielzeug, 1993
Bronze bemalt
133 × 131 × 73 cm

Nude with Toy, 1993
Bronze, painted
133 × 131 × 73 cm

Mann mit blauem Ball, 1993
Bronze bemalt
129 x 101 x 63 cm

Man with a Blue Ball, 1993
Bronze, painted
129 x 101 x 63 cm

ROSEMARIE TROCKEL

1952
Geboren in Schwerte

1974-1978
Studium der Malerei an der Werkkunstschule Köln

1983
Galerie Monika Sprüth, Köln
„Rosemarie Trockel. Plastiken 1982-1983",
Galerie Philomene Magers, Bonn

1984
Stipendium des Kunstfonds e.V., Bonn

1985
Stipendium des Kulturkreises der deutschen
Wirtschaft, BDI
„Rosemarie Trockel: Bilder – Skulpturen –
Zeichnungen", Rheinisches Landesmuseum, Bonn

1987
Galerie Ascan Crone, Hamburg

1988
„Projects: Rosemarie Trockel",
Museum of Modern Art, New York
Kunsthalle, Basel
ICA, London
Barbara Gladstone Gallery, New York

1989
Karl-Ströher-Preis, Frankfurt a.M.

1991
Günter-Fruhtrunk-Preis der Akademie der Bildenden
Künste, München

„Rosemarie Trockel, Papierarbeiten", Museum für
Gegenwartskunst, Basel / Neuer Berliner Kunstverein,
Berlin / Kunstmuseum St. Gallen / Kunstraum, München
Mario Diacono Gallery, Boston: „Rosemarie Trockel",
Institute of Contemporary Art, Boston / University Art
Museum, Berkeley / Museum of Contemporary Art,
Chicago / The Power Plant, Toronto

1992
Konrad-von-Soest-Preis, Münster
„Rosemarie Trockel", Museo Nacional
Centro de Arte Reina Sofia, Madrid
„Rosemarie Trockel, Papierarbeiten", Statens Museum
for Kunst, Kopenhagen / Museum Ludwig, Köln
Galerie Ascan Crone, Hamburg
Museum of Contemporary Art, Helsinki

1993
De Pont Stichting, Tilburg
Neues Museum Weserburg, Bremen
City Gallery, Wellington

1994
Galleria Lucio Amelio, Neapel
Galerie Monika Sprüth, Köln
Museum of Contemporary Art, Sydney
Museum für Angewandte Kunst, Wien
Centre d'art contemporain, Genf
Biennale Sao Paulo
Barbara Gladstone Gallery, New York

1995
Museum Haus Esters, Krefeld
Galerie Springer, Berlin
Israel Museum, Jerusalem

1996

Akira Ikeda Gallery, Tokyo
Centre for Contemporary Art, Schloß Ujazdowski,
Warschau
„Rosemarie Trockel. Ich kann, darf und will nicht",
Musée des Beaux-Arts de Nantes, Nantes

1998

Preisträgerstipendium der Günther-Peill-Stiftung, Düren
„Rosemarie Trockel. Werkgruppen: 1986-1998",
Kunsthalle, Hamburg
Whitechapel Art Gallery, London

1999

„Rosemarie Trockel. Werkgruppen: 1986-1998",
Staatsgalerie, Stuttgart / M.A.C. Galeries
Contemporaines des Musées de Marseille, Marseille
Biennale von Venedig

2000

Kunstpreis der Kulturstiftung der
Stadtsparkasse München
„Rosemarie Trockel: Dessins", Centre Pompidou, Paris
Lenbachhaus Kunstbau, München

2001

Kulturpreis Köln
Barbara Gladstone Gallery, New York
Drawing Center, New York
De Pont Stichting, Tilburg

2002

„Du – She never promised you", Galerie Stampa, Basel
Sammlung Goetz, München
„Spleen", Dia Center for the Arts, New York

2003

„L'Imitation d'Anne", Galerie Anne de Villepoix, Paris
(mit Carol Rama)
Galerie Karsten Schubert, London
(mit Agnes Martin und Bridget Riley)
Sammlung des IFA, Narodni Galerie, Prag und Brandts
Klaedefabrik, Odense
Synagoge Stommeln
„Kinderzimmmer", Museum für Moderne Kunst,
Frankfurt
„Video und Zeichnung", HerderRaumFürKunst,
Herder Gymnasium, Köln

2004

Sammlung des IFA, Bunkier Sztuki, Krakau
Galerie Sprüth/Magers, Köln (mit George Condo)
Sammlung des IFA, Oude Kerk, Amsterdam
Sammlung des IFA, Tramway, Glasgow
Wolfgang-Hahn-Preis, Köln / Präsentation anlässlich
der Preisverleihung im Museum Ludwig, Köln

2005

Sammlung des IFA, Culture Centre , Rejkjavik
Sammlung des IFA, Museo Provincial de Bellas Artes,
Cordoba
Sammlung des IFA, PROA,
Museo Bellas Artes, Buenos Aires
„Post-Menopause", Museum Ludwig, Köln

Lebt und arbeitet in Köln

ROSEMARIE TROCKEL

1952
Born in Schwerte, Germany

1974-1978
Studied painting at the Werkkunstschule
(School of Applied Arts), Cologne

1983
Galerie Monika Sprüth, Cologne
„Rosemarie Trockel. Plastiken (Sculptures)
1982-1983", Galerie Philomene Magers, Bonn

1984
Scholarship from Kunstfonds e.V., Bonn

1985
Scholarship from Culture Department of German
Industry, BDI
„Rosemarie Trockel: Bilder – Skulpturen –
Zeichnungen" (Paintings – Sculptures – Drawings),
Rheinisches Landesmuseum, Bonn

1987
Galerie Ascan Crone, Hamburg

1988
„Projects: Rosemarie Trockel,"
Museum of Modern Art, New York
Kunsthalle, Basel
ICA, London
Barbara Gladstone Gallery, New York

1989
Karl Ströher Prize, Frankfurt am Main

1991
Günter Fruhtrunk Prize of the Academy
of Visual Arts, Munich
„Rosemarie Trockel, Papierarbeiten" (Works on Paper),
Museum für Gegenwartskunst, Basel / Neuer Berliner
Kunstverein, Berlin / Kunstmuseum St. Gallen /
Kunstraum, Munich
Mario Diacono Gallery, Boston: „Rosemarie Trockel,"
Institute of Contemporary Art, Boston / University
Art Museum, Berkeley / Museum of Contemporary
Art, Chicago / The Power Plant, Toronto

1992
Konrad von Soest Prize, Münster
„Rosemarie Trockel", Museo Nacional Centro de
Arte Reina Sofia, Madrid
„Rosemarie Trockel, Papierarbeiten" (Works on
Paper), Statens Museum for Kunst, Copenhagen /
Museum Ludwig, Cologne
Galerie Ascan Crone, Hamburg
Museum of Contemporary Art, Helsinki

1993
De Pont Stichting, Tilburg
Neues Museum Weserburg, Bremen
City Gallery, Wellington

1994
Galleria Lucio Amelio, Naples
Galerie Monika Sprüth, Cologne
Museum of Contemporary Art, Sydney
Museum für Angewandte Kunst, Vienna
Centre d'art contemporain, Geneva
Biennale Sao Paulo
Barbara Gladstone Gallery, New York

1995
Museum Haus Esters, Krefeld
Galerie Springer, Berlin
Israel Museum, Jerusalem

1996
Akira Ikeda Gallery, Tokyo
Centre for Contemporary Art, Ujazdowski Palace,
Warsaw
„Rosemarie Trockel. Ich kann, darf und will nicht"
(I cannot, may not, and will not),
Musée des Beaux-Arts de Nantes, Nantes

1998
Award winner's scholarship of the Günther'
Peil Foundation, Düren
„Rosemarie Trockel. Werkgruppen: 1986-1998"
(Work Groups), Kunsthalle, Hamburg
Whitechapel Art Gallery, London

1999
„Rosemarie Trockel. Werkgruppen: 1986-1998"
(Work Groups), Staatsgalerie, Stuttgart / M.A.C.
Galeries Contemporaines des Musées de Marseille,
Marseille
Venice Biennale

2000
Art award of the Culture Foundation,
Municipal Savings Bank, Munich
„Rosemarie Trockel: Dessins" (Drawings), Centre
Pompidou, Paris
Lenbachhaus Kunstbau, Munich

2001
Culture Prize Cologne
Barbara Gladstone Gallery, New York
Drawing Center, New York
De Pont Stichting, Tilburg

2002
„Du – She never promised you," Galerie Stampa, Basel
Goetz Collection, Munich
„Spleen," Dia Center for the Arts, New York

2003
„L'Imitation d'Anne", Galerie Anne de Villepoix, Paris
(with Carol Rama)
Karsten Schubert Gallery, London
(with Agnes Martin and Bridget Riley)
IFA Collection, Narodni Gallery, Prague and Brandts
Klaedefabrik, Odense
Synagogue, Stommeln
„Kinderzimmmer" (Children's Rooms), Museum für
Moderne Kunst, Frankfurt
„Video und Zeichnung" (Video and Drawing),
HerderRaumFürKunst, Herder Gymnasium, Cologne

2004
IFA Collection, Bunkier Sztuki, Krakow
Galerie Sprüth/Magers, Cologne (with George Condo)
IFA Collection, Oude Kerk, Amsterdam
IFA Collection, Tramway, Glasgow
Wolfgang Hahn Prize, Cologne / Presentation in
conjunction with award ceremony at Museum
Ludwig, Cologne

2005
IFA Collection, Culture Centre , Rejkjavik
IFA Collection, Museo Provincial de Bellas Artes,
Cordoba
IFA Collection, PROA, Museo Bellas Artes,
Buenos Aires
„Post-Menopause," Museum Ludwig, Cologne

Lives and works in Cologne

MARKUS LÜPERTZ

1941
Geboren in Liberec, Böhmen

1948
Die Familie flüchtet in den Westen nach Rheydt,
Rheinland

1956-1961
Studium an der Werkkunstschule Krefeld
bei Laurens Goosens
Studienaufenthalt im Kloster Maria Laach
(Kreuzigungsbilder)
Einjährige Arbeit im Kohlenbergbau unter Tage
Weitere Studien in Krefeld und an der
Kunstakademie Düsseldorf
Arbeit im Straßenbau
Aufenthalt in Paris

1962
Übersiedlung nach Berlin
Beginn der sogenannten „dithyrambischen Malerei"

1964
Eröffnung der Galerie Großgörschen 35, Berlin mit
der Ausstellung „Dithyrambische Malerei"

1966
Veröffentlichung des Manifests „Kunst, die im Wege
steht. Dithyrambisches Manifest"

1968
Veröffentlichung des Manifests „Die Anmut des
20. Jahrhunderts wird durch die von mir erfundene Dithyrambe sichtbar gemacht". Erste Ausstellung in der
Galerie Michael Werner, Berlin / Seither jährlich folgen-
de Ausstellungen in der Galerie Michael Werner, Köln

1970
Preis der Villa Romana / Einjähriger Aufenthalt in Florenz
Beginn der „Deutschen Motive"

1971
Preis des Deutschen Kritikerverbandes

1973
Werkübersicht in der Staatlichen Kunsthalle
Baden-Baden

1974
Organisation der 1. Biennale Berlin
Gastdozentur an der Staatlichen Akademie der
Bildenden Künste, Karlsruhe

1975
Erscheinen des ersten Gedichtbandes „9 x 9"

1976-1987
Professur an der Staatlichen Akademie der Bildenden
Künste, Karlsruhe

1977
Ausstellungen in der Kunsthalle Hamburg, der
Kunsthalle Bern und im Stedelijk Van Abbemuseum,
Eindhoven
Rücktritt von der Teilnahme an der documenta 6,
Kassel (mit Georg Baselitz)

1979
„Markus Lüpertz. ‚Stil' Paintings 1977-79",
Whitechapel Art Gallery, London
Josef-Haubrich-Kunsthalle, Köln

1981
Marian Goodman Gallery, New York
Waddington Galleries, London

1982
Teilnahme an der documenta 7, Kassel

1983
Professur an der Sommerakademie, Salzburg
Ausstellungen im Stedelijk Van Abbemuseum,
Eindhoven und im Musée d'Art Moderne de
Strasbourg, Straßburg
Teilnahme an der XVII. Biennale von Sao Paulo

1984
Aufenthalt in New York
Publikation von „Tagebuch New York 1984" und
„Bleiben Sie sitzen Heinrich Heine"

1985
Beginn der Auseinandersetzung mit antiken Themen

1986
Professur an der Staatlichen Kunstakademie Düsseldorf
Entstehung der „Zwischenraumgespenster-Serie"
„Belebte Formen und Kalte Malerei", Lenbachhaus,
München

1987
Museum Boymans-van Beuningen, Rotterdam

seit 1988
Rektor der Staatlichen Kunstakademie Düsseldorf

1989
Abbaye Saint-André, Centre d'Art Contemporain,
Meymac Corrèze

1989/90
Kirchenfensterentwürfe für die Kathedrale von Nevers

1990
Lovis-Corinth-Preis der Künstlergilde Esslingen

1991
Entwurf des Bühnenbildes und der Kostüme zur
Oper „Der Sturm" von Frank Martin am Theater
Bremen
Retrospektive im Museo Nacional Centro de Arte
Reina Sofia, Madrid

1993
Überblicksausstellung im Kunstmuseum Bonn

1994
Palais Liechtenstein, Museum Moderner
Kunst Stiftung Ludwig, Wien

1995
„Skulpturen in Bronze", Städtischen Kunsthalle,
Mannheim / Städtische Kunstsammlungen, Augsburg /
Gerhard Marcks-Haus, Bremen

1996
Thematische Werkschau in der Kunstsammlung
Nordrhein-Westfalen, Düsseldorf / Begleitendes
Symposium
Gestaltung von Bühnenbild und Kostümen zur Oper
„Der Troubadour" von Giuseppe Verdi, Deutsche
Oper am Rhein, Duisburg / Düsseldorf

1997
Umfassende Präsentation der Gemälde im Stedelijk Museum, Amsterdam

1997/1998
„Markus Lüpertz", Hypo Kulturstiftung, München / Neue Galerie der Stadt Linz / Von der Heydt-Museum, Wuppertal

1998
Skulpturen-Ausstellung, Lowe Gallery, Atlanta
Präsentation der Bilderfolge „Monte Santo", Galerie Michael Werner, Köln

1999
Präsentation des Zyklus „Vanitas" in der Zeche Zollverein, Essen
„Zeichnungen von 1963-1977", Ludwig Forum für Internationale Kunst, Aachen

2000
Ausstattung des Parks von Schloß Bensberg mit einem Ensemble von drei Skulpturen
L'Espal, Centre Culturel, Le Mans

2001
Gestaltung des Wandbildes „Die sechs Tugenden" und der Bronze „Die Philosophin" für das Bundeskanzleramt, Berlin

2002
Werkschau im IVAM Centre Julio González, Valencia und im Museum Würth, Künzelsau

2004
IV. International Prize „Julio González"
Tasende Gallery, West Hollywood / La Jolla

2005
Galerie am Lindenplatz, Vaduz
Galería Colón XVI, Bilbao
Galleri Bo Bjerggaard, Kopenhagen

Lebt und arbeitet in Berlin, Düsseldorf und Karlsruhe

MARKUS LÜPERTZ

1941
Born in Liberec, Bohemia

1948
Fled with his family to West Germany, settling in Rheydt, Rhineland

1956-1961
Studied at the Werkkunstschule (School of Applied Arts), Krefeld, with Laurens Goosens
Artist in residence at Maria Laach Monastery (Crucifixion paintings)
Worked for a year as a coal miner
Advanced studies in Krefeld and at the Düsseldorf Academy of Art
Worked in road construction
Sojurn in Paris

1962
Moved to Berlin
Began series of „Dithyrambic Paintings"

1964
Inauguration of Galerie Großgörschen 35, Berlin, with exhibition „Dithyrambische Malerei" (Dithyrambic Painting)

1966
Publication of manifesto „Kunst, die im Wege steht. Dithyrambisches Manifest" (Art That is in the Way. Dithyrambic Painting)

1968
Publication of manifesto „Die Anmut des 20. Jahrhunderts wird durch die von mir erfundene Dithyrambe sichtbar gemacht" (The Grace of the 20th Century will be made Visible through the Dithyramb I Invented)
First exhibition at Galerie Michael Werner, Berlin, followed by annual shows at Galerie Michael Werner, Cologne

1970
Villa Romana Prize, spent a year in Florence
Beginning of „German Motifs"

1971
Award of the German Critics Association

1973
Oeuvre review at the Staatliche Kunsthalle, Baden-Baden

1974
Organization of 1st Biennale Berlin
Guest instructor at the Staatliche Akademie der Bildenden Künste (State Academy of Visual Arts), Karlsruhe

1975
Publication of first book of poetry, „9 × 9"

1976-1987
Professor at the State Academy of Visual Arts, Karlsruhe

1977
Exhibitions at Kunsthalle Hamburg, Kunsthalle Bern, and Stedelijk Van Abbemuseum, Eindhoven
Declined to participate in Documenta 6, Kassel (along with Georg Baselitz)

1979
„Markus Lüpertz.'Stil' Paintings 1977-79,"
Whitechapel Art Gallery, London
Josef-Haubrich-Kunsthalle, Cologne

1981
Marian Goodman Gallery, New York
Waddington Galleries, London

1982
Participated in Documenta 7, Kassel

1983
Professor at the Summer Academy, Salzburg
Exhibitions at Stedelijk Van Abbemuseum, Eindhoven
and Musée d'Art Moderne de Strasbourg
Participated in the XVIIth Biennale, Sao Paulo

1984
Sojurn in New York
Publication of „Tagebuch New York 1984" (New York
Journal 1984) and „Bleiben Sie sitzen Heinrich
Heine" (Stay Seated, Heinrich Heine)

1985
Beginning of involvement with ancient Greco-Roman
subjects

1986
Professor at the State Academy of Art, Düsseldorf
Emergence of „Zwischenraumgespenster-Serie"
(Interstitial Ghosts Series)
„Belebte Formen und Kalte Malerei" (Animated
Forms and Cold Painting), Lenbachhaus, Munich

1987
Museum Boymans-van Beuningen, Rotterdam

since 1988
Rector of the State Academy of Art, Düsseldorf

1989
Abbaye Saint-André, Centre d'Art Contemporain,
Meymac Corrèze

1989/90
Church window designs for Nevers Cathedral

1990
Lovis Corinth Prize of Esslingen Artists Guild

1991
Set and costume designs for Frank Martin's opera
„Der Sturm" (The Tempest), Theater Bremen
Retrospective at Museo Nacional Centro de Arte
Reina Sofia, Madrid

1993
Overview exhibition at Kunstmuseum Bonn

1994
Palais Liechtenstein, Museum Moderner Kunst Stiftung Ludwig, Vienna

1995
„Skulpturen in Bronze" (Sculptures in Bronze),
Städtische Kunsthalle, Mannheim / Städtische
Kunstsammlungen, Augsburg / Gerhard Marcks-Haus,
Bremen

1996
Thematic oeuvre exhibition at Kunstsammlung
Nordrhein-Westfalen, Düsseldorf / supplementary
symposium
Set and costume designs for Guiseppe Verdi's opera
„The Troubadour," Deutsche Oper am Rhein,
Duisburg / Düsseldorf

1997
Comprehensive exhibition of paintings at the
Stedelijk Museum, Amsterdam

1997/1998
„Markus Lüpertz," Hypo Kulturstiftung, Munich /
Neue Galerie der Stadt Linz / Von der Heydt-
Museum, Wuppertal

1998
Sculpture exhibition, Lowe Gallery, Atlanta
Presentation of painting series „Monte Santo,"
Galerie Michael Werner, Cologne

1999
Presentation of the cycle „Vanitas,"
Zeche Zollverein Mine, Essen
„Zeichnungen von 1963-1977"
(Drawings 1963-1977), Ludwig Forum für
Internationale Kunst, Aachen

2000
Installation of an ensemble of three sculptures in the
palace park, Bensberg
L'Espal, Centre Culturel, Le Mans

2001
Mural „The Six Virtues" and bronze „The Woman
Philosopher" for the Federal Chancellery, Berlin

2002
Retrospective at the IVAM Centre Julio González,
Valencia, and Museum Würth, Künzelsau

2004
IVth International Prize „Julio González"
Tasende Gallery, West Hollywood / La Jolla

2005
Galerie am Lindenplatz, Vaduz
Galería Colón XVI, Bilbao
Galleri Bo Bjerggaard, Copenhagen

Lives and works in Berlin, Düsseldorf und Karlsruhe

Impressum / Colophon

Published in connection with the exhibition series "Akademos" on the occasion of the exhibition "RO'MA – Rosemarie Trockel and Markus Lüpertz" at MKM Museum Küppersmühle für Moderne Kunst, Duisburg,
24 March to 7 May 2006

Albion, London
18 July to 25 August 2006

An exhibition of the Stiftung für Kunst und Kultur e.V., Bonn in collaboration with the Düsseldorf Academy of Art and Albion, London

KATALOG / CATALOGUE

Herausgeber / Editor
Walter Smerling

Kataloggestaltung / Catalogue Design
Dialog GmbH

Redaktion / Copyediting
Tina Franke

Satz / Typesetting
Mario Lambertz

Reproduktion / Reproductions
Jaqueline Kuklinski

Übersetzung / Translation
John Gabriel

Druck / Printing
Köllen Druck + Verlag

**Produktionsleitung /
Production Management**
Norbert Theisen

**Buchbinderische Verarbeitung /
Bookbinding**
Großbuchbinderei Bernhard Gehring, Bielefeld

AUSSTELLUNG / EXHIBITION

Direktor MKM / Director MKM
Walter Smerling

**Geschäftsführung MKM /
Business Manager MKM**
Marie-Louise Hirschmüller

**Projektmanagement /
Project Manager**
Tina Franke

Hängung / Installation
Wojcik & Wojcik

Direktor Albion / Director Albion
Michael Hue-Williams

Leihgeber / Lenders: The artists and Galerie Monika Sprüth/Philomene Magers, Köln/München; Galerie Michael Werner, Köln; Kunstmuseum Bonn (Ströher Collection, permanent loan); Museum Ludwig, Köln

Fotografen / Photographers:
Christian Altengarten, Köln; Curtis Anderson, Köln; Reni Hansen, Köln; Tom Lemke, Düsseldorf; Friedrich Rosenstiel, Köln; Bernhard Schaub & Ralf Höffner, Köln; Lothar Schnepf, Köln

MUSEUM KÜPPERSMÜHLE
FÜR MODERNE KUNST
Philosophenweg 55
47051 Duisburg
Fon: 0203 30 19 48 11
Fax: 0203 30 19 48 21
office.kueppersmuehle@t-online.de
www.museum-kueppersmuehle.de

ALBION

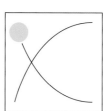

Stiftung für Kunst
und Kultur e.V.
Bonn